O NOME ESTEGOSSAURO SIGNIFICA "LAGARTO ENCOURAÇADO". ELE POSSUÍA CABEÇA PEQUENA E CORPO DESAJEITADO. NÃO CONSEGUIA ANDAR RÁPIDO OU CORRER, MAS PODIA SE DEFENDER.

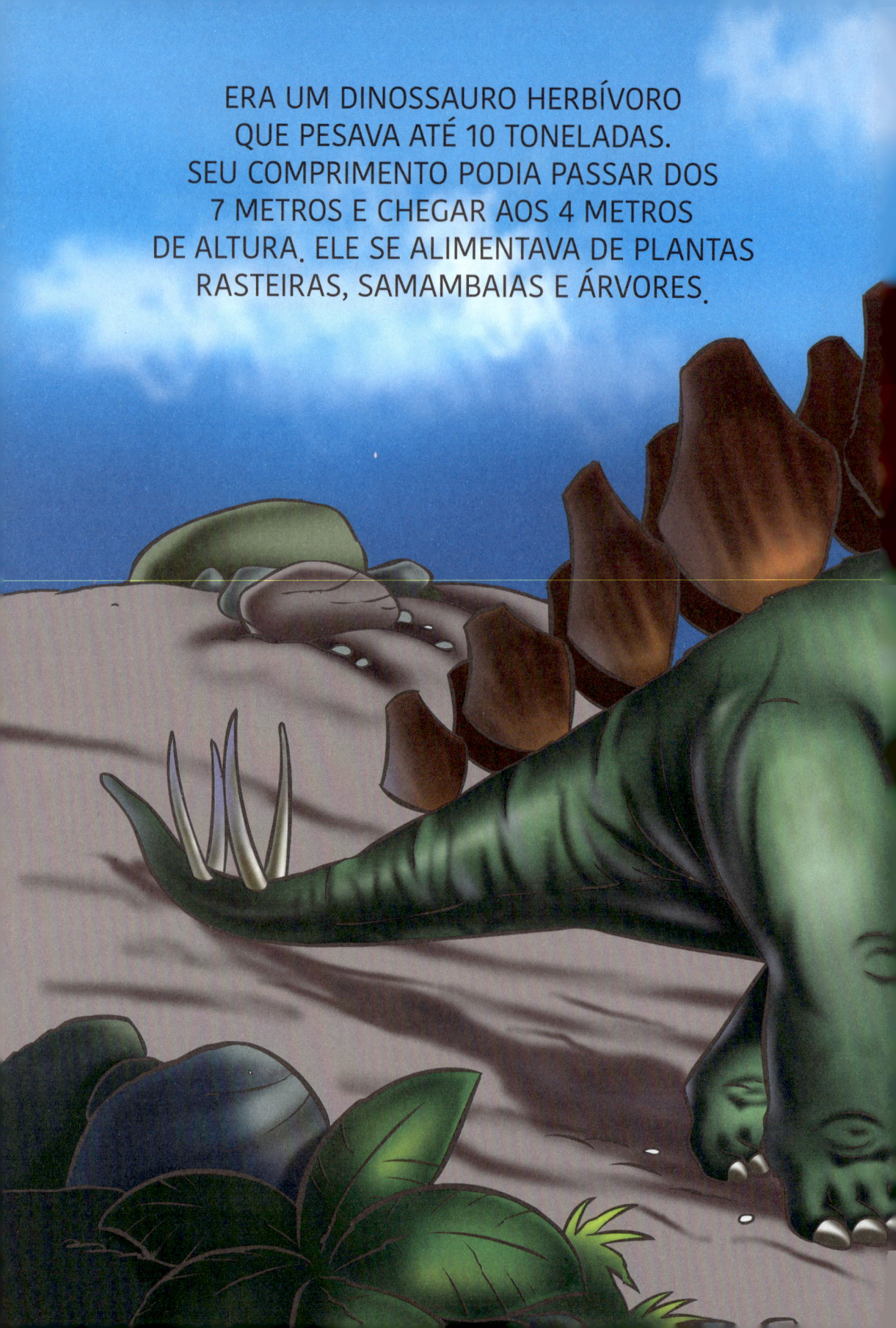

ERA UM DINOSSAURO HERBÍVORO QUE PESAVA ATÉ 10 TONELADAS. SEU COMPRIMENTO PODIA PASSAR DOS 7 METROS E CHEGAR AOS 4 METROS DE ALTURA. ELE SE ALIMENTAVA DE PLANTAS RASTEIRAS, SAMAMBAIAS E ÁRVORES.

PARA SUA PROTEÇÃO,
TINHA NAS COSTAS DUAS CRISTAS
DE PLACAS ÓSSEAS E, NA PONTA DA
CAUDA, QUATRO ESPIGÕES AFIADOS
DE 1 METRO CADA UM, QUE ERAM
INCRÍVEIS ARMAS CONTRA OS INIMIGOS.

ACREDITA-SE QUE AS PLACAS NAS SUAS COSTAS FUNCIONAVAM TAMBÉM COMO REGULADORES DE TEMPERATURA, ORA PARA REFRESCÁ-LO APÓS UM COMBATE, ORA PARA AQUECÊ-LO AO ABSORVER O CALOR DO SOL.

AS PATAS TRASEIRAS, BEM MAIS LONGAS QUE AS DIANTEIRAS, SERVIAM PARA SUSTENTAR SEU CORPO. SUA LONGA CAUDA AJUDAVA A EQUILIBRAR O SEU PESO.

ATIVIDADE

O ESTEGOSSAURO ESTÁ COM SEDE. QUAL CAMINHO O LEVA ATÉ A ÁGUA?